W9-BNG-149

BOOK SOLD
NO LONGER R.H.P.L.
PROPERTY

THE ERRAND

Text & illustrations © Wakiko Sato 1974

Originally published by Fukuinkan Shoten Publishers, Inc., Tokyo, Japan, in 1974 under the title of Otsukai (THE ERRAND)

The Complex Chinese rights arranged with Fukuinkan Shoten Publishers, Inc., Tokyo.

All rights reserved.

繪本 0044

文・圖／佐藤和貴子（Wakiko SATO）

選書翻譯／林真美

責任編輯／呂奕欣

特約美術編輯／崔永嬿

發行人／殷允芃

童書出版總編輯／何琦瑜

法律顧問／台英國際商務法律事務所・羅明通律師

出版者／天下雜誌股份有限公司

地址／台北市104南京東路二段139號11樓

讀者服務／（02）2662-0332

傳真／（02）2662-6048

劃撥帳號／01895001 天下雜誌股份有限公司

天下雜誌GROUP網址／http://www.cw.com.tw

印刷製版／彩峰造藝印像股份有限公司

裝訂廠／堅成裝訂股份有限公司

總經銷／大和圖書有限公司 電話／（02）8990-2588

出版日期／2008年7月第一版第一次印行

定價／250元

書號：BCKP0044P

ISBN：978-986-6759-95-6

天下雜誌網路書店：http://www.cwbook.com.tw

天下雜誌童書館及訂閱親子童書電子報，請上：http://www.cwbook.com.tw/kids/

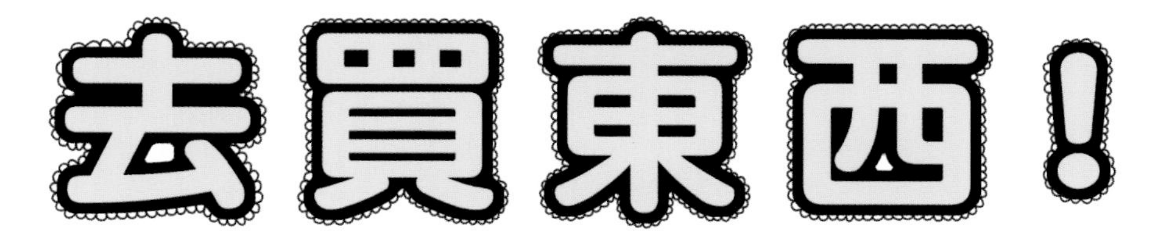

文・圖／佐藤和貴子
選書翻譯／林真美

「去幫我買東西。」

「不要，外面在下雨。」

「那就撐傘去啊！」

「可是，腳會溼。」

「那就穿雨鞋啊！」

「可ㄎㄜˇ是ㄕˋ，衣ㄧ服ㄈㄨˊ會ㄏㄨㄟˋ溼ㄕ耶ㄧㄝ！」

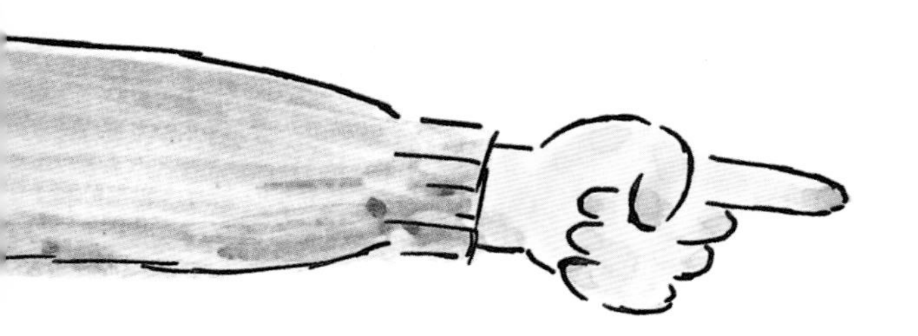

「那就穿雨衣啊！」

「我最討厭頭髮被風吹得亂七八糟了。」

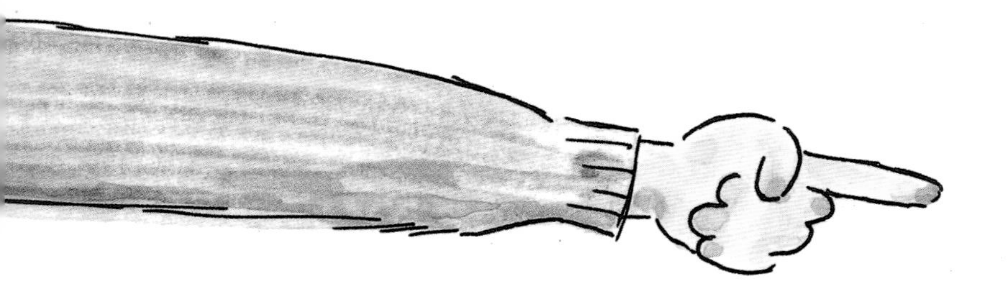

「那ㄋㄚˋ就ㄐㄧㄡˋ戴ㄉㄞˋ上ㄕㄤˋ帽ㄇㄠˋ子ㄗ˙！」

「可是，可是……」

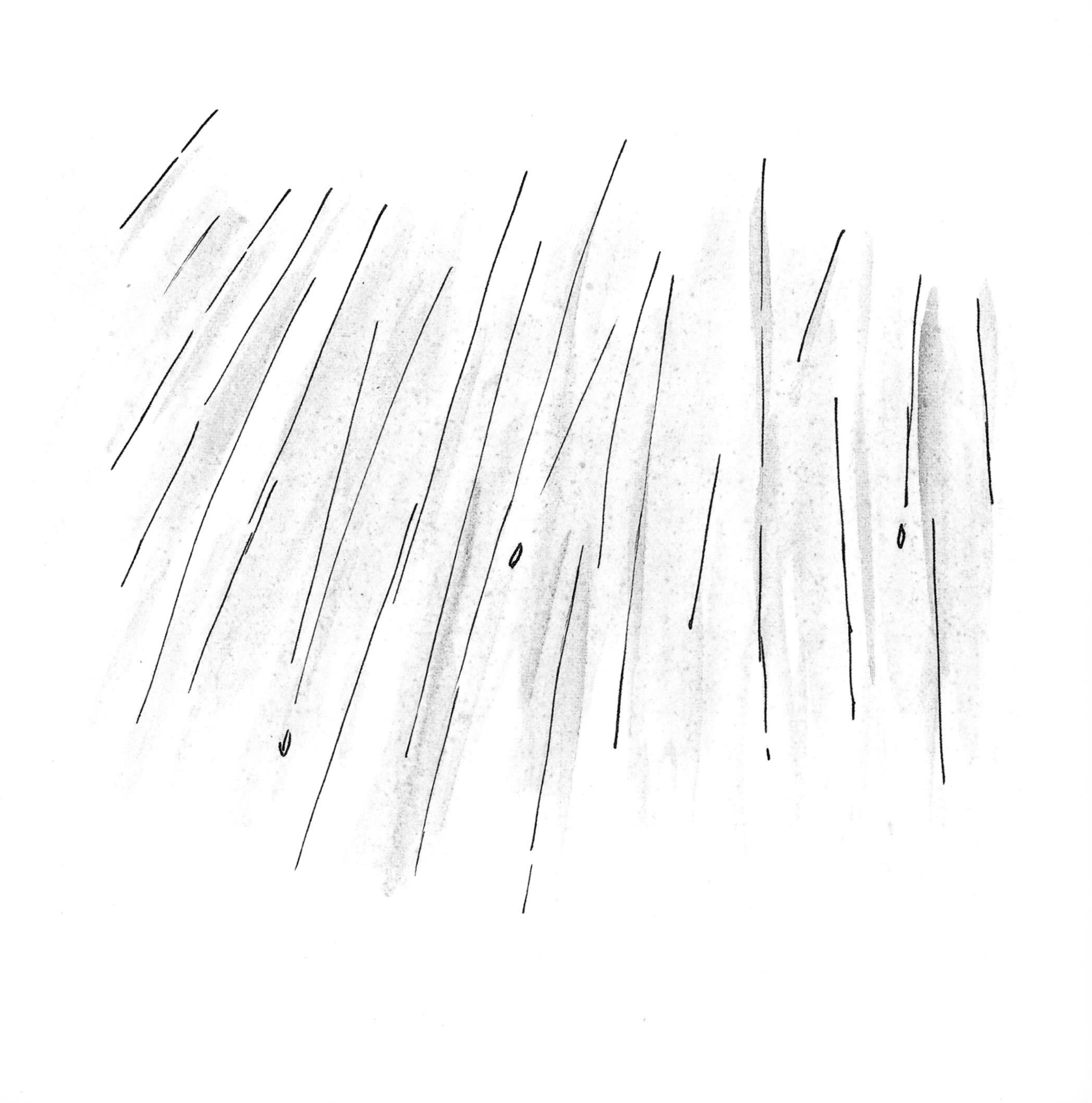

「還不

快去！！」

「可是，萬一……萬一喔……」

「萬ㄨㄢˋ一ㄧ鬧ㄋㄠˋ水ㄕㄨㄟˇ災ㄗㄞ的ㄉㄜ˙話ㄏㄨㄚˋ，怎ㄗㄣˇ麼ㄇㄜ˙辦ㄅㄢˋ？」

「要是船翻了，怎麼辦？」

「要是水跑到眼睛裡面，會痛耶！」

「如果游泳，肚子就會餓。最後，會死翹翹的。」

「唉ㄞ，走ㄗㄡˇ吧˙ㄅㄚ！」

RICHMOND HILL
PUBLIC LIBRARY
MAR 1 1 2010
CENTRAL LIBRARY
905-884-9288

關於作者：

佐藤和貴子

1937年生於日本東京。都立大泉高中畢業。師事高橋正人，曾從事設計工作。70年代開始發表繪本創作，代表作為《曾曾曾祖母》（ばばばあちゃん）系列。為兒童出版美術家聯盟會員、日本兒童文學者協會會員，並於長野縣諏訪湖畔創立「小小繪本美術館」（小さな絵本美術館）。

關於譯者：

林真美

國立中央大學中文系畢業，日本國立御茶之水女子大學兒童學碩士。喜歡兒童，熱愛繪本。除從事與兒童相關之工作外，也著手推廣「繪本」及「繪本親子共讀」。曾策劃、翻譯繪本無數，並發起「小大讀書會」，與讀書會成員共築「小大繪本館」。目前在大學兼課，講授「兒童文學」與「兒童文化」。